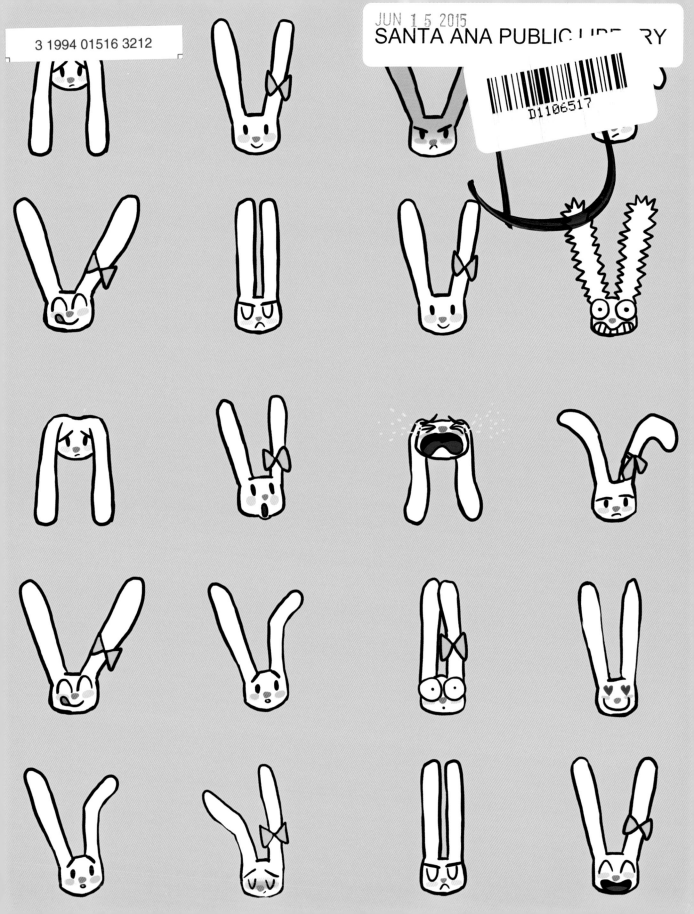

Los CELOS vienen... y se van

Meritxell Martí
Xavier Salomó

Almadraba
INFANTIL   JUVENIL

Hoy es Navidad. Tía Toñi tiene invitados: su sobrina Tina con su inseparable amigo Toni, y sus familias.

Toni y Tina han llegado pronto
para ayudarla.

Toni se acerca al árbol y, con disimulo, cuenta cuántos regalos hay para él y cuántos para su amiga:
Tina, Toni, Toni, Tina, Tina, Toni, Tina.

Tía Toñi mira el reloj y dice:
—¡Huy, casi no nos queda tiempo!
Toni, por favor, echa más leña al fuego
para que no se apague.
Tina, ¿nos cantas un villancico?

—Qué bien canta, ¿no es cierto, Toni?
Toni no responde y, con mala cara,
echa algún tronco al fuego.
—¡Tienes una voz preciosa, Tina!
—exclama su tía sonriendo.

A Toni ya solo le faltaba esto: Tina tiene más regalos
que él y, además, ¡canta muy bien! En cambio,
a él suelen decirle: «¡No cantes, que lloverá!».
Entonces, dice gritando:

—¿Saben el chiste del hombre
que entra en un café y ¡chofff!?

Tina hace como que no lo ha oído y continúa
cantando.

Toni cuenta otro chiste:

—¿Saben que había un estanque tan seco, tan seco que las ranas llevaban cantimplora? —Y suelta una carcajada exagerada.

—¡Tíaaa, Toni no me deja cantar!

—se queja Tina, finalmente.

—¡Eres una pesada!
—contraataca Toni, dolido.

¿Cómo te parece que se siente Toni?

—¿Saben qué me ocurrió el día de Navidad
de hace treinta años?
Los dos conejitos miran a Toñi con curiosidad
y niegan con la cabeza.
—Resulta que...

Estábamos en este mismo comedor y esperábamos a los invitados. Yo tenía vuestra misma edad, más o menos.

Entonces llegó una amiga de mi madre con su hijo, un niño menor que yo.

Me molestaba que mi madre fuera tan cariñosa con él.

A continuación, el niño recitó su poema de Navidad y todo el mundo aplaudió.

Yo estaba a punto de explotar. ¡Me había esforzado mucho para aprenderme el mío y ahora aquel mocoso se me había adelantado!

Cuando me pidieron que recitara mi poema, ya no me apetecía.

Entonces, mi madre nos propuso lo siguiente: que cada uno leyese el poema del otro y recitáramos los dos al mismo tiempo.

Nos aplaudieron mucho y nos hicimos amigos.

—¿Sabes quién era aquel niño? —pregunta tía Toñi mirando a Toni, que niega con la cabeza.

—¡Tu papá! —respondió ella, sonriendo.

Toni abre unos ojos como platos.
¡No tenía ni la menor idea!

—Tina y tú también podrían hacer un dúo
–propone tía Toñi.
—¡Pero yo desafino!
—No es necesario que cantes –lo tranquiliza
ella–. Sabes hacer otras cosas. Por ejemplo,
nadie cuenta los chistes tan bien como tú.
¡Eres un fenómeno!

Toni se pone colorado como un tomate. Le da vergüenza lo que ha dicho Toñi, pero se da cuenta de que le gusta.

¿Qué valoran los demás de ti que te hace sentir bien?

—Podríamos preparar un número
especial para los invitados:
villancicos y chistes –dice tía Toñi.
Toni y Tina se animan.
—¿Empiezo yo contando
un chiste? –pide Toni.
—¡Pero que no sea demasiado
largo! –dice Tina.
—¡Vamos, que deben estar
a punto de llegar! –les apremia
Toñi.

Comienza a nevar. Mientras contemplan por la ventana cómo caen los copos blancos, Tina ensaya un villancico:

NOOOCHE DE PAZ, NOOOCHE DE AMOR...

Y Toni prepara su chiste:
—¿Saben qué le dice un ojo al otro?
¡Estamos separados por narices!

De repente se oye ruido fuera.

—¡Chicos! ¡Ya están aquí!

¿En qué dibujo te parece que Toni tiene celos?

¿Cómo te sientes cuando estás celoso o celosa?

TRANQUILO

SOLO   DISGUSTADO

NERVIOSO   ABURRIDO   ENOJADO

Cuando tienes celos, ¿qué puedes hacer para no enojarte como Toni?

Mantener la calma y respirar.

Aceptar que los demás saben hacer mejor ciertas cosas.

Pedir que me digan cosas bonitas y que me abracen.

Pensar en las cosas que sé hacer bien.

Llorar.

Hablar con alguien y explicarle cómo me siento.

Orientaciones para familiares y educadores

¿Qué son los celos?

Los celos se presentan cuando tememos que alguien a quien queremos prefiera a una persona más que a nosotros y creemos que la atención que ese ser querido nos presta disminuye para focalizarse en el otro. Quien siente celos puede percibir a esta otra persona como un rival y, aparte de los celos, esto le puede provocar rabia, frustración, envidia o resentimiento... Los celos pueden ir acompañados de baja autoestima, ansiedad y problemas de comportamiento.

¿Cómo pueden manifestarse los celos?

Estas son algunas actitudes y conductas de los niños y niñas que nos pueden ayudar a identificar sus celos:

- Cambios de humor frecuentes. Tendencia a enfadarse fácilmente o a cambiar de estado de ánimo sin motivo claro. A veces pueden llorar sin causa aparente, preguntar con frecuencia si les quieren y mostrarse inquietos.

- Mayor reticencia a obedecer a los adultos y contestaciones más desafiantes hacia los padres o compañeros.

- Cambios en el desarrollo del lenguaje (por ejemplo, utilizan un habla más infantil, que imita la de los pequeños).

- Cambios en los hábitos de autonomía, que presentan problemas en conductas o aspectos ya superados (por ejemplo, hacerse pipí en la cama, chuparse el dedo o volver a utilizar el biberón).

- Alteraciones en la alimentación, como disminución del apetito, mostrarse más selectivo con los alimentos o solicitar más ayuda para comer.

- Alteraciones del sueño. Por ejemplo, piden con mayor frecuencia que los padres les acompañen a dormir.

¿Cómo ayudar a los niños y niñas a controlar y superar los celos?

- Puede ser útil confeccionar una lista con juegos en los que participará toda la familia y dedicar un día o dos a la semana a jugar todos juntos. Proponed que en cada ocasión sea un miembro diferente de la familia quien decida el juego que prefiere. Si jugáis por equipos, favoreced que los hermanos vayan juntos y hacedles ver que unir sus fuerzas y habilidades es muy positivo.

- Si los celos se manifiestan en el hermano mayor, mostradle fotos o vídeos donde aparezca haciendo lo mismo que su hermano menor y recordadle cómo se sentía la familia entonces.

- Es importante habituar a los hijos a compartir responsabilidades diarias, proponiéndoles actividades o tareas en las que puedan colaborar todos.

- Motivad al hermano mayor a colaborar con los padres en el cuidado del hermano menor, pero evitando que esta tarea se convierta en una carga para él.

- Marcad a los niños límites claros y adecuados, y estableced normas sencillas y comprensibles para situaciones que suelen ser conflictivas entre hermanos.

- Es necesario mantener espacios de juego o diálogo exclusivos para cada niño o niña.

Podéis ampliar esta información en www.faroshsjd.net y en www.tonitina.com.

FAROS, Observatorio de salud de la infancia y la adolescencia
Hospital Sant Joan de Déu

Sant Joan de Déu
HOSPITAL MATERNOINFANTIL
UNIVERSITAT DE BARCELONA

El Observatorio FAROS Sant Joan de Déu es la plataforma de promoción de la salud y el bienestar infantil del Hospital Sant Joan de Déu de Barcelona.

Está dirigido principalmente a padres y madres interesados en recibir información de calidad sobre la salud y el bienestar de sus hijos. FAROS también se dirige a otros cuidadores y a profesionales, especialmente de los ámbitos de la salud y la educación. Su misión es poner a su disposición todo el conocimiento necesario para fomentar valores y hábitos saludables.

Meritxell Martí

Cuando era pequeña, sentía celos de una prima mía que tenía el cabello rizado y ella estaba celosa de mi pelo liso. Algunas veces nos peleábamos y acabábamos llorando. Entonces, mi tía -que era peluquera- nos peinaba a las dos: ¡a ella le alisaba el pelo y a mí me lo rizaba! Ahora que he crecido, aquellos celos me resultan divertidos. Por eso me gusta mucho escribir historias sobre este tipo de problemas y sobre cómo solucionarlos con buen humor.

www.meritxellmarti.net

Xavier Salomó

¿Celoso? Apenas. Al contrario: cuando era pequeño me encantaba tener niños y niñas cerca para jugar con ellos y pasármelo pipa. Pero ahora que lo pienso... quizá sí tuve celos de un compañero de clase que cantaba muy bien. Yo soñaba con ser el cantante de Pearl Jam, pero desafinaba, como Toni. Y hablando de soñar, me gusta mucho ser ilustrador porque puedo ayudar a vivir aventuras como las de los Goonies y conseguir que los lectores sientan todo tipo de emociones a través de mis dibujos.

www.xaviersalomo.blogspot.com
www.xaviersalomo.com

© Meritxell Martí, 2013, por los textos
© Xavier Salomó, 2013, por las ilustraciones
© Andrés Pozo, 2013, por la traducción
© Hermes Editora General, S. A. U. – Almadraba Infantil Juvenil, 2013
www.almadrabalij.com

Dirección editorial: Dolors Rius
Jefe de ediciones: Oriol González
Edición: Guida Planes
Diseño gráfico: Imma Hernández

Asesoramiento: FAROS Hospital Sant Joan de Déu

Impreso en el mes de octubre de 2013
ISBN: 978-84-15207-73-3
Depósito legal: B-22.714-2013
Printed in Spain

 Este libro ha sido impreso en papel procedente de una gestión forestal sostenible,
y es fruto de un proceso productivo eficiente y responsable con el medio ambiente.

 Papel ecológico y 100 % reciclable

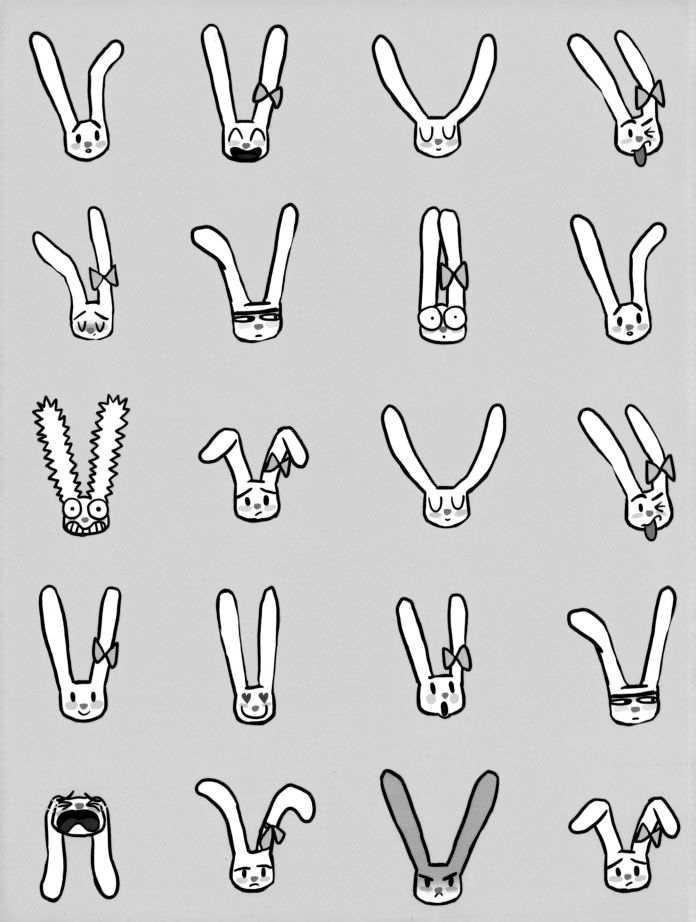